星になった少年

ぼくの夢はぞうの楽園

坂本 小百合 ● 監修　島田 和子 ● 文

汐文社

目次

1　ミッキーがやってきた

三月のある日、ぼくの家にぞうのミッキーがやってきた。人形じゃない、ほんもののぞうだ。

「哲夢《てつむ》、ミッキーがきたよ！」

パパの大声で、ぼくは家の外にとび出した。お姉ちゃんののんちゃんも、妹の麻衣《まい》もとんできた。ミッキーは鉄《てつ》のオリに入って、トラックでゆっくりゆっくり運《はこ》ばれてくる。

ぼくの家は、動物プロダクションをやっている。映画《えいが》やテレビ、コマーシャルなどに出る動物を育《そだ》てているんだ。『アリからぞうまで』がモットーだけど、ぞうは、動物園でしか見たことがない。

その本物のぞうがきたんだ。オリの間からミッキーが見えた。うわあー、でっかーい。背《せ》は二メートルはある。長い鼻《はな》、うちわのような耳、足はバケツくらいある。

「これでも、八さいの女の子なんだよ。ぞうは、陸《りく》の上にすむ動物で一番大きいんだ」

とパパがいった。ちょっと動いただけでも、トラックがゆっさゆっさとゆれる。

とつぜん「パオーン」と、トランペットみたいな声でミッキーがないた。

びっくりしたあ。もう、おどかさないでよ。頭がびりっとふるえたよ。体もでかいけど、声もでかい。

ママが、リンゴをもってオリに近づいた。

「ミッキー、こんにちは。長旅《ながたび》でつかれたでしょう」

すると、いきなりオリの中からニュルニュルッと鼻がのびてきて、リンゴをひとつつかみ、ぽんっと口の中に入れた。

「まあ、なんという早わざ」

「これがミッキーのごあいさつってわけだ」

みんなあっけにとられ、それから大《おお》わらいになった。

「今日から、わたしがあなたのママよ。よろしくね」

ママは、すっかりミッキーのお母さんになったつもりだ。

「さあ、哲《てっ》ちゃんもえさをあげてみて」

ぼくはバナナを、おっかなびっくりミッキーの鼻さきに持っていった。くねくねと鼻《はな》が近づいてきて、バナナをくるりとまきとった。鼻が手にさわった。

ぞうの鼻は、あたたかくてやわらかかった。もっとゴツゴツしてるかと思ったのに。そのとき、鼻の先からなまあたたかい風がプアーッと出て、顔にあたった。

「わっ、なにすんだよ」

ぼくがあわてているのに、ママはわらいながら、平気で体をさわったり顔をなでたりしている。

「哲《てっ》ちゃん。ミッキーはね、タイのお母さんぞうと別れて、去年、友だちと日本にきたのよ。今度はその友だちともお別れしてきたの。だから、さびしい思いをさせないように、うんとかわいがってあげようね」

「うん。でも、どうやって？　あんなに体が大きいのに。犬やねこみたいなわけにはいかないよ」

「だいじょうぶ。ミッキーのこと好きだよって思っていれば、いつかきっと、そのきもちが通《つう》じるようになるわよ」

ミッキーが、ブフッ、ブフッと鼻をならした。会ったばかりのママに、もうあまえている。どうして？　ふしぎだ。

「ミッキー、おまえは体は大きいけれどまだ八さい、ぼくは十さい。ぼくの方が先ぱいなんだからな」

ちょっとだけ、いばってみせた。でもミッキーは（そんなことより、はやくえさをちょうだいよ）というように、鼻をぶらぶらさせた。

バナナ、リンゴ、パイナップル、にんじんなどをいっぱいもらって、ミッキーはこの日から、ぼくたちの家族になった。昭《しょう》和《わ》五十八年（一九八三年）、ぼくが小学校五年生になったばかりのことだ。

パパはミッキーの背中《せなか》にのることができた。少しだけ、ぞう使いの勉強《べんきょう》をしたことがあるんだって。ママはぞう舎《しゃ》に入って、えさをやったりそうじをしたり、話しかけたりしている。

ママはミッキーにかかりきり。ぼくたちが小さいときより、よっぽど教育熱心《ねっしん》だ。ちょっとだけ、やきもちをやいちゃった。

「ママ、ミッキーがこわくないの？」

「ぜんぜん。哲《てっ》ちゃんもこっちにきて、いっしょにあそぼ」

「やだよー」

ぼくはぞう舎のオリにしがみついた。バケツみたいな足でふまれたらこわいし、あの鼻《はな》でうでをつかまれたら、骨《ほね》がおれる。家にはたくさん動物がいる。犬やねこのほかに、ヤギ、ポニー、チンパンジー、馬……。その子たちの世話はできる。ふんのにおいも小屋のそうじもへっちゃらだ。でも、ミッキーだけはべつだ。

いつか、パパみたいに、ミッキーにのれるようになるかなあ。ぞうの背中から見る景色《けしき》って、どんなだろう。

ライド
500

2　そう使いになりたい

ミッキーに、テレビのレギュラー番組《ばんぐみ》の仕事がきた。とても楽しい番組で、ミッキーはあっという間に全国的な人気《にんき》ものになった。

ところが三か月がすぎたころ、病気《びょうき》になってしまったんだ。ひっこしのストレスや、友だちがいないさびしさが原因《げんいん》らしかった。

大好きなバナナも食べられない。毎日、やまもりのウンチが出ていたのに、それも出ない。ウンチやオナラが出ないと、おなかにガスがたまって、とても苦しいのだ。ミッキーは横になって、目をとろんとさせている。体の大きい動物は、長く横になったままだと、とても危険《きけん》なんだとパパがいった。

ぞうの病気《びょうき》ときいて、何人もの獣医《じゅうい》さんがとんできた。ママは夜中じゅう、ミッキーにつきそって看病《かんびょう》した。でも、だれもなおすことができなかった。

ぼくは学校から帰ると、ランドセルを玄関《げんかん》にほうりだしてすぐにぞう舎《しゃ》にいき、ミッキーのそばで息《いき》をつめて見守った。そして「神様、ミッキーを助けて」といっしょうけんめいにいのった。

看病でつかれはてたママが、ふと、あることに気がついた。

「ねえパパ、点滴《てんてき》してみたらどうかしら」

「うん、そうだ。やるだけやってみよう。このまま、なにもしないでいるよりはましだ」

そこですぐに獣医さんが、耳の血管《けっかん》から、点滴の針《はり》を八本もさした。するとどうだろう。二時間たったとき、出たんだ、オナラが！

バフバフバッフーンッとすごい音がして、次には、待《ま》ちにまった二日分のウンチが、ドカドカッと出てきた。

「やったーっ」

ウンチ様々《さまさま》だ。うれしくてなみだが出た。ママもないた。そのあとミッキーは、はちみつ入りのアロエジュースや大好きな果物《くだもの》をたっぷりもらって、すっかり元気になった。

これでミッキーは、ママにあまえることをおぼえてしまった。

ママがぞう舎《しゃ》にいくとぐったりしてみせて、またおいしいものをもらおうとするんだ。ぞうって、なんて頭がいいんだろう。

弟のタッくんが生まれたとき、だっこして見せにいったら、鼻《はな》でなでまわして、白いおくるみをまっ黒にしてしまった。でもママは、そんなことぜんぜん気にしない。

「ぞうって、小さいものをかわいがる本能《ほんのう》があるのよ」

だけどミッキーは、ネズミがきらいだ。あんな小さい動物なのにね。えさをねらってぞう舎にきただけで、おおさわぎするんだ。ぞうは、急《きゅう》になにかが動いたり、とつぜん大きな音をたてたりするとパニックになることがあるんだって。意外《いがい》と、気の小さいところがあるんだ。

雪がふった日、ミッキーを喜《よろこ》ばせようとして外に出したら、しもやけになったこともある。赤くなった耳やしっぽに薬《くすり》をぬりながら、ママがいった。

「ぞうは熱帯生《ねったいせい》まれだから、寒《さむ》いのはきらいなのよね。失敗《しっぱい》、失敗」

ぞうについては、知らないことがいっぱいあった。ぼくはひまさえあればぞう舎に行った、家族よりミッキーといる時間のほうが長くなったくらいだ。


六年生のある日、運動場の庭《にわ》でミッキーとサッカーをやることになった。パパやママ、のんちゃんや麻衣《まい》、飼育係《しいくがかり》の人たちも見にきた。

はじめ、ぼくとミッキーは、別々のボールをけって遊《あそ》んでいた。そのうち、ぼくのボールがぐうぜん、ミッキーの鼻《はな》にあたったんだ。ミッキーは、鼻で打ち返してきた。ぼくは、そのボールをミッキーにかえした。

ぼくがける。ミッキーがける。

ボールが、ぽーんと上にあがる。

ぼくはさけびながら、ボールをおいかけた。

「いいぞ、ミッキー！」

(哲《てっ》ちゃん、サッカーっておもしろいね)

そんな顔をしてミッキーは、何回も同じことをくりかえした。すっかりサッカーが気に入ってしまったらしい。ボールはあっちにいったり、そっちにいったり、いそがしいったらない。ぼくが汗《あせ》びっしょりなのに、ミッキーはすずしい顔をしている。

「テツー、おまえの方がまけてるぞ！」

見物していた人たちが、足をならしたり、三三七拍子《さんさんななびょうし》を始めた。

「ミッキーになんか、まけるもんか！」

すごく楽しかった。このときはじめて、ミッキーとなかよくなれたと感じた。このときからミッキーが、いや、ぞうという動物が、前よりもっと好きになったんだ。

ミッキーのふるさと『タイ』って、どんな国だろう。

読書なんて大きらいだったけど、図書館でぞうの本をかりてきた。その本には『ぞう学校』のことが書いてあった。

タイのぞうは、大きい木や重い荷物《にもつ》、ときには人を運《はこ》ぶ仕事をする。そのために、ぞうにいろいろな言葉や合図《あいず》を伝《つた》える『ぞう使い』という人がいる。ぞう学校は、ぞうと人間がいっしょにその勉強《べんきょう》をするところだった。

こんな学校があるなんて、知らなかった。ぼくも勉強すれば、ぞう使いになれるのかな。いや、なりたい！　いってみたいな、ここに……。その本だけは、暗記《あんき》するくらい読んだ。

チャンスは、向こうからやってきた。家によく来るテレビ局《きょく》の人が、その学校にいってみないかというんだ。

動物プロダクションをしているぼくの家には、テレビ局の人がよく出入りしていた。そのスタッフの人が、ぞう学校で学ぶぼくを撮影《さつえい》したいという。

「ぼく、いきたい！　こんなチャンス、めったにないよ」

「うーん。まだ六年生だからなあ。一人でタイにいかせるのは心配《しんぱい》だよ」

「たったの十日だよ。それに、テレビ局の人がいっしょだから、だいじょうぶだよ」

「そうねえ、十日くらいなら……。いい経験《けいけん》になるかもしれないわ」

やっと、パパたちがさんせいしてくれた。こうして六年生の夏休み、ぼくは常夏《とこなつ》の国、タイに向かった。

3　チェンダオぞう訓練《くんれん》センター

日本からバンコクへ、バンコクからチェンマイへと飛行機《ひこうき》をのりつぎ、それから車で一時間、さらにデコボコの山道を歩いて、やっと着いたのは『チェンダオぞう訓練《くんれん》センター』だった。タイ北部のジャングルを切り開いて作った所だ。

メーピン川にかかったつり橋《ばし》を、ぐらぐらゆれながらわたり終えると、うっそうとした森の中に広場があった。

そこでは二十頭のぞうが訓練をうけていた。ミッキーより大きなぞうが、たくさんいる。すごい迫力《はくりょく》だ。学校の生徒《せいと》たちは、青いうわ着にズボン、草であんだ白いぼうしをかぶっている。

校長のマナッツ先生が、建物《たてもの》から出てきた。ぼくはおぼえたばかりのタイ語であいさつした。

「サワディ・カップ（こんにちは）」

「サワディ・カップ。テツは、初めての外国人生徒《せいと》です。しっかり勉強《べんきょう》してくださいよ」

先生はめずらしそうに、ぼくを見た。きっと、はじめて日本の子どもを見たんだ。

「ぞうのことを、タイ語でチャーンといいます。タイでは、ぞうは神様のお使いとして、だいじにされています。そのことをわすれないで。ではまず、ぞうの霊《れい》に、おまいりしてください」

ぞうがまつられたお寺に花をそなえ、手をあわせた。目をつむると、風の音と川の水の音が聞こえる。ジャングルに来たという実感《じっかん》がした。心がシーンとした。

「いっしょうけんめい勉強すれば、いつかテツにもぞうたちの言葉がきこえてきますよ」

「はい、よろしくおねがいします」

広場では、ぞう使いの合図《あいず》で、大きなぞうたちがゆっくり立ったりすわったりしていた。そのたびに、ぞうの首にさがった木のベルが、ポクポクとなる。ぞうは訓練《くんれん》のとき以外はジャングルで自由にくらしているので、ぞうをさがすときはこの音をたよりにするのだとマナッツ先生が教えてくれた。

生徒は二十人。ぼくと同じくらいの少年も五人いた。その中の一人、十五さいのポーくんとはすぐ友だちになった。タイ語

はわからないけど、いっしょにくらしていると、なにをいいたいかだいたいわかる。
センターのまわりには、バナナやヤシの実、ココナツなど、南の国の果物《くだもの》がいっぱいあった。でも水は雨水で、ガスや電気はなし。火をおこし、ヘビやトカゲをにたり焼《や》いたりして食べた。川にはワニやピラニアがおり、木の上にはヘビがいる。日一歩まちがえば、命とりだ。

本にいたときには、想像《そうぞう》もできないくらしだけど、そんなことにはすぐ慣《な》れた。

ぞう学校の勉強《べんきょう》は、ぞうの時間わりで始まった。ぞうは夜、ジャングルに帰してしまう。ぞうたちは、それぞれ勝手《かって》に山のおくにいって、草《くさ》や果物を食べて一晩《ひとばん》をすごす。

朝五時、そのぞうをむかえにいくことから勉強は始まった。ポクポクというベルの音をたよりに、ジャングルの中のぞうをさがし、三時間かけてセンターにつれもどすんだ。それからやっと、ぼくたちの朝ごはんになる。

そのあと、いよいよ訓練開始《くんれんかいし》だ。最初《さいしょ》はぞうののりかたから。

「ソン　ソン」

マナッツ先生がいうと、ぞうは前足のひざを上げた。先生はそこに足をのせ、ぞうの耳をつかんでひらりと背中《せなか》にまたがった。

すごい……感動だ。ぼくもやってみた。

最初《さいしょ》に、コーというカギのついた棒《ぼう》で、前足のうらがわをチョンとつつく。ぞうのまげた足をふみ台にして、耳をつかみ、背中にひらり……とそんなかんたんにできるわけがない。足をじたばたさせて、よじのぼるって感じだ。ぞうの方が（この子、だいじょうぶかな）といってるみたいだった。

「テツ、最初からうまくはいかないよ。ゆっくりゆっくりね」

マナッッツ先生がわらっている。ぞうののり方は、前、横、うしろからといろいろあり、もちろん言葉もちがう。下りるときは「ハッブスン」という。

パイ（進め）、ハウ（とまれ）、ナンロン（すわれ）、ルックン（立て）、ボン（鼻《はな》をあげて）……まだまだある。

言葉以外にも足の指、ひざ、かかとを使って、ぞうの体のつぼを刺激《しげき》し、いろいろな方向に移動《いどう》したり、動作《どうさ》をさせたりできるんだ。

あんなに皮《ひ》ふの厚《あつ》いぞうが、人間みたいに正座《せいざ》できるのがふしぎだけど、上手に四本の足をおりまげてすわることができる。

太い鼻で、丸太《まるた》をもち上げたり、おしたり、クサリで引っぱったりするのも大事な訓練《くんれん》だった。

朝晩《あさばん》二回、全員《ぜんいん》で川に入って水浴《みずあ》びもする。ジャングルの水は、すきとおってつめたい。ぞうは水が大好きだ。鼻のシャワーを体じゅうにかけ、しばらく遊んだあと、全員がごろーんと横になる。

ぞう使いたちは、草であんだカゴで水をかけて、体をごしごしこすり、よごれを落としてやる。しわの間に水をためて、皮《ひ》ふがかわくのをふせぐ。ぞうは目を細めてきもちよさそうだ。

そうして一日が終わると、ぞうたちはのんびりとジャングルの中に帰っていった。

十日間、同じことをくりかえし練習《れんしゅう》して、やっとなんとかぞうにのれるようになった。ぞうに言葉が伝《つた》わらなくてあせったり、先ぱいにわらわれたり、川にも何度落ちたかしれない。でも、ホームシックにはならなかった。

センターには、こういう訓練《くんれん》の様子を見に観光客《かんこうきゃく》がやってき

3　チェンダオぞう訓練センター

た。一番人気なのは、なんといってもちびぞう。ちょろちょろ動きまわっていたずらをする。一列《いちれつ》にならんで観光客《かんこうきゃく》に「ありがとう」のおじぎをしたときは、うまくできなくてコロンとひっくり返ってしまった。

また、観光客がぞうにさわったり、背中《せなか》にのったり、直接《ちょくせつ》えさをあげたりもする。ぞうがぞう使いを信頼《しんらい》しているからできることだった。

タイでは、犬の散歩《さんぽ》みたいに、ぞうと人間が同じ道をいっしょに歩いている。ぞうは、ほんとうはとてもおとなしい動物なんだ。いやがることをしなければ、人に乱暴《らんぼう》はしない。タイの人はそのことをよく知っていて、むかしからぞうと上手にくらしてきた。

ぞうは海で泳ぐこともできる。犬かきみたいに、とてもうまく泳ぐらしい。

日本に帰る日がきた。家族へのおみやげ話がいっぱいあって、ぼくはうきうきしていた。でも、ポーくんには家族がいなかった。五年間、ここで訓練《くんれん》をして卒業《そつぎょう》しても、帰る家がないというんだ。ポーくんだけでなく、ほかの四人の子たちも家族がいなかった。

ぼくは、家族がいて住む家があることをあたりまえと思っていた。けれど、それがどんなにめぐまれたことか、遠《とお》いタイで考えさせられてしまった。

「りっぱなぞう使いになろうね」

ポーくんとやくそくして、ぼくは日本に帰った。たったの十日間だったけど、わすれられない十二さいの夏休みになった。

4　もう一度タイへ

タイでの訓練《くんれん》のようすが日本のテレビで放送されると、友だちがいろんなことをいった。

「おまえ、ヘビやトカゲを食ったんだってな」

「しんじらんねえ。あんなもん、よく食えるよなあ」

「そう使いのまね、してみろよ」

むかっとしたけど、こらえた。でも、あまりしつこくいわれて頭にきたとき、いってやった。

「おれが女の子にもてるのが、うらやましいんだろう！」

「なんだと？　テレビに出たからって、じまんするんじゃねえ」

「やっつけちゃえ！」

このときはボコボコにやられた。くやしかった。でも、タイのくらしで、ぼくは今までとはちがう自分になっていた。

こいつらには、タイの自然のきびしさとか、ポーくんみたいな子どもがいることとか話してもわからないだろう……そう思うようになっていたんだ。


そんなことより、タイから帰っておどろいたのは、ミッキーが自分の方から近づいてきたことだ。たったの十日、ぞう使いの訓練《くんれん》をしただけなのに、ミッキーはなにかを感じたらしい。

「ミッキー、ただいま」

（おかえり、哲《てっ》ちゃん。タイの学校はどうだった？）

「楽しかった！　ひとりでぞうにのれるようになったんだよ」

（わあ、すごい。じゃあ今度、わたしの背中《せなか》にのってみて）

　ミッキーの気持ちが伝《つた》わってきた。ぼくはそれまで、体の大きいミッキーが、まだちょっとこわかった。でも、自分からあまえてくるすがたを見て、そんなのはふっとんでしまった。

「もう、ぼくらは親友だね」

　ぼくはミッキーの鼻《はな》に、ほっぺたをくっつけた。鼻の先をもって、大きな穴《あな》にふーっと息《いき》をふきこんだ。ミッキーは目を細めてぼくを見た。


　その年の秋、もう一度、タイにいくチャンスがきた。スリンという村のぞう祭《まつり》に参加《さんか》することになったのだ。

ぞう祭は、神の使いであるぞうに感謝《かんしゃ》する日。着かざったぞうとぞう使いたちが、長い道のりを行進して、スリン市の広場に集まった。二百頭以上ものぞうが各地《かくち》からやってきた。この祭は世界的に有名《ゆうめい》で、ぞうと人間がつなひきをしたり、サッカーをしたり、一日楽しく遊ぶ。

ここでもぼくは初めての外国人ということで、ちょっとした話題《わだい》の人になってしまった。

六年生のときに合計二回タイにいき、ぞうへの興味《きょうみ》はますますふくらんでいった。

中学校の入学がせまっていた。ぼくは、日本の中学校へいくよりも、タイでぞう使いになる勉強《べんきょう》をしたくてたまらなかった。

タイでは、十二さいくらいからぞう使いの勉強をはじめる。ぞうをうまくのりこなすには、体のやわらかい子どものうちから始めるのがよいといわれているからだ。ぼくは、やっとぞうの背中《せなか》にのれるようになったばかり、これからがほんとうの勉強なのに……。

それで、本格的《ほんかくてき》なぞう使いになるため、もう一度タイに留学《りゅうがく》したいとパパとママにたのんだ。

「哲《てっ》ちゃん、こんどはテレビ局《きょく》の人も、パパもママもいけないのよ」

「わかってるよ、ママ。でも、ぞう使いの勉強をもっとやりたいんだよ」

パパも、しぶい顔をした。

「本格的《ほんかくてき》にやるには、何年もかかるんだぞ。つらいからって、かんたんに帰ってはこれないんだよ」

「それもわかってる。もし、お金がないのなら、ぼくの貯金《ちょきん》を使って」

「ママたちは、そんなことをいってるんじゃないのよ」

「今のままじゃ、半人前《はんにんまえ》だよ。ほんもののぞう使いになるには、もっといろんな勉強《べんきょう》が必要《ひつよう》なんだ」

ねばりにねばった。そして、ぼくが本気だとわかったパパとママは、やっとねがいをきいてくれた。

ぼくの心は、ジャングルにひびくぞうたちの声、緑の森、川の水音、ポーくんの笑顔《えがお》など、タイへの思いではちきれそうだった。

中学一年の春、タイ・バンコクの日本人学校に入学した。平日はここで勉強しながら、土日と長い休みのときだけ『エレファントスクール』に通う。

日本人学校は、両親《りょうしん》といっしょにタイに住んでいる子どもでないと入学はみとめられないのだが、ぞう使いになるというぼくの話をきいた校長先生が、特別《とくべつ》に許可《きょか》してくれた。

ホームスティしながら、今度はなんでも一人でやらなくてはならない。

朝は、だれもおこしてはくれない。ねぼうして、スクールバスにのりおくれ、学校を休んでしまったこともある。熱《ねつ》をだしてもだれも看病《かんびょう》してくれない。文化や物の考えかたのちがいか

ら、ホームステイ先の人とうまくいかなかったこともある。
げっそりとやせてしまったせいで、「親のいないかわいそうな日本の子ども」とまちがわれたこともあった。
いろんなことがあったけれど、そのことは日本の家族にはいわなかった。みんなを心配《しんぱい》させたくなかったから。
だって、ポーくんにくらべたら、ぼくのつらさなんかちっぽけなものだ。タイの子どもの中には、ポーくんみたいに親がいない子だけでなく、家族がいても道路《どうろ》で物ごいをしている子がたくさんいるのだから。

もちろん、楽しいこともあった。一番はなんといってもぞう学校の勉強《べんきょう》だ。日本に帰ってミッキーにのる夢《ゆめ》があったから、必死《ひっし》でやった。

タイでの経験《けいけん》はぼくを、なにがあってもへこたれない人間にしてくれた。

5　ぞうファミリーの海水浴《かいすいよく》

中学二年の秋、タイ留学《りゅうがく》をおえて一年半ぶりに帰国し、地元の中学校に編入《へんにゅう》した。身長が十センチものびたぼくに、家族はびっくりだ。

ぞう舎《しゃ》には、ミッキーのほかにライティという子ぞうがなかま入りしていた。ぼくの妹、明里《あかり》も生まれて、あっちもこっちもにぎやかだった。

ライティは五さいで、タイからやってきた。ミッキーといっしょに『子象物語《こぞうものがたり》』という映画《えいが》に出て、その愛《あい》らしさで日本じゆうのアイドルになった。母親役になったのはミッキー。ミッキーだってまだ九さいの子どもなのに、りっぱに母親役を演《えん》じた。

「ミッキーが、撮影用《さつえいよう》のプールに落ちて、消防車《しょうぼうしゃ》まできて大さわぎだったのよ」

「ライティは、オリの間に入ってぬけられなくなるしね」

大きな仕事を成功《せいこう》させ、パパもママも満足感《まんぞくかん》でいっぱいだ。

そのあとすぐに家族のなかま入りをしたのが、三頭目の子ぞう、ミニスター。

ミニスターは生まれてまだ三年。ほんとうのちびぞうだ。タイから飛行機にのって、ぞう使いのノイさんとやってきた。ミニスターは、家のぞう舎《しゃ》に入ったとたん、まっすぐミッキーのおっぱいめがけてとっ進した。

ミッキーは、お母さんになったことがない。いくらおっぱいをすわれても、お乳《ちち》は出ない。それでも目を細めて、ミニスターの好きなようにさせている。

ぼくは、いそいで一升《いっしょう》びんに牛用のミルクを作ってミニスターに飲《の》ませた。ミニスターは、ごっくんごっくんとすごい勢《いきお》いでのんだ。

年上のミッキーは、ライティやミニスターをとてもかわいがる。いたずらをすると、鼻《はな》で（ダメダメ）というようにたしなめる。元気がないと（どうしたの？）と顔をすりよせ、鼻をからませて遊んであげる。ママやぼくがいったことを、ぞうにしかわからない『ぞう語』で、子ぞうたちに伝《つた》えてくれるんだ。

ぞうは、人間には聞こえない音を聞くことができる。どんな遠くにいるなかまとも、そのぞう語で話したり愛《あい》をささやいたりするらしい。

ミッキーはまるで、子ぞうたちにはお母さん、ぼくたちには通訳《つうやく》のようだった。そんなミッキーを、ママはとてもたよりにしていた。

中学三年の夏休みのこと。

「ね、みんなで海水浴《かいすいよく》にいきましょう」

ママがとつぜんいい出した。ミッキーさえいれば、なんの心《しん》配《ぱい》もない。ミッキーはママのいうことをきくし、子ぞうたちはミッキーのいうことをきく。ママにはそれがわかっていたからだ。

三頭のぞうとぞう使いのノイさんたち、それにぼくら家族は、千葉《ちば》の九十九里海岸《くじゅうくりかいがん》にくり出した。

道路《どうろ》にトラックをとめ、少し歩くとすぐ海岸だ。だれかに会ったらどうしようと思ったけど、だれにも会わなかった。

太陽が、青い空のま上で輝《かがや》いている。砂浜《すなはま》はどこまでも続き、地平線《ちへいせん》がずっと遠くに見える。ソフトクリームのような入道雲《にゅうどうぐも》がわいている。

ぞうたちはせまいオリから出してもらい、ざぶんざぶんと海に入っていった。

パオーン

ブオーン

ヒューン

鼻《はな》のシャワーで大はしゃぎだ。おもいっきり、水のかけっこをした。

交代《こうたい》でぞうの背中《せなか》にのせてもらった。背中の上から、ママに手をふる。パラソルをさしたママは、砂浜《すなはま》で休んでいる。

ザッバーン

ドップーン

貸《か》し切りの九十九里海岸《くじゅうくりかいがん》。聞こえるのは波の音だけ。

三頭のぞうとぼくたちは、たっぷりと遊んでから、夏の海岸をあとにした。

それからまもなくして、ライティが急《きゅう》にえさを食べなくなった。そして、あっという間に天国へいってしまったのだ。映画《えいが》で人気ものになり、これから日本じゅうの子どもたちに会いにいく予定だったのに。

原因《げんいん》は寄生虫《きせいちゅう》だった。タイに留学《りゅうがく》までしてぞうのことを勉強《べんきょう》してきたのに、助けてやれなくてくやしかった。

ショックをうけていたぼくたちのところに、ある日、一本の電話がかかってきた。

（サーカスをやっていけなくなりました。ぞうを一頭、ひきとってもらえないでしょうか）

「まあ、なんて無責任《むせきにん》なの」

ママはおこった。ぼくは聞いた。

「だれもひきとらないと、そのぞうはどうなるの？」

「どうなるのか、ママにもわからないわ」

「かわいそう。家でひきとってあげようよ」

「でも、サーカスにいたぞうなんて、育《そだ》てられるかしら」

ママは自信《じしん》がなさそうだ。

「ママならぜったいできるよ」

ママはなやんだ。そして決めた。

「わかった。哲《てっ》ちゃんもいることだし、やってみよう。なんとかなるわ」

そして、六さいのメスぞう、ランディがやってきた。

ランディを見ておどろいた。死んでしまったライティにそっくりじゃないか。ママは、神様からのプレゼントといって喜《よろこ》んだ。

ランディはおでこに、ちいさくて白い星みたいなもようがあった。右目の上からななめに三つならんでいる。オリオン星座《せいざ》にそっくりだ。

「ランディのおでこには、星座があるんだね」

（それはなに？　おいしいもの？）

ランディの目がいった。

「ちがうよ。冬の夜空に、三つならんで光る星のことだよ」

（ああ、星ね。タイの空にも、星はいっぱい出ていたわ）

ランディはなつかしそうに、長いまつげをゆっくり動かした。ふしぎだけど、このとき、ランディのきもちがなんとなくわかったんだ。

これでぞうは、また三頭になった。ぞうたちは、みんな性格《せいかく》がちがう。

サファリパークから来たミッキーははずかしがりや。あまり外出が好きではない。でも、リーダーとして、みんなをしきってくれる。

タイから来たちびのミニスターは、いたずらであまえんぼ。車で移動《いどう》中、オリから鼻《はな》をぶらぶら出して、まわりのドライバーをおどろかすのが大好きだ。

ランディはサーカス育《そだ》ちのせいか、とてもききわけがよい。サービス精神《せいしん》も満点《まんてん》だ。遠《とお》くの仕事でフェリーにのるときも、いやがらずにさっさとのるし、町なかのパレードも、鼻を高々とあげてごきげんだ。オリのカギを鼻で開けられたときは、あわてたけどね。こんないたずらをする鼻のことは、聞いたことがないよ。

ぞうの鼻って、すごいんだ。たとえば、こんなことができる。

◯ピーナッツのような小さいものから、大きい丸太《まるた》まで
　もち上げることができる

◯遠《とお》くの様子が、においでわかる

◯水をすい上げて、シャワーにする

○高い木の枝《えだ》をおる
○サッカーやバスケットができる
○鼻《はな》と鼻をからめて、あいさつする
○泳ぐときは、シュノーケルのように水面《すいめん》にだす
○土をほって、水や塩《しお》のある場所をさがす
○たたかうときはきょうれつな武器《ぶき》になる

そんなランディをみて、ママがびっくりするようなことをいった。

「哲《てっ》ちゃん。ランディはあなたにまかせるわ」

「えっ、ほんと？」

「ええ。こんなにききわけのいい子だもの。それに哲ちゃんも

十五さい、ぞうのあつかいにだいぶ慣《な》れたようだしね」

「やったー！」

これでやっと、ぼくも本物のぞう使いだ。ふと、ポーくんを思い出した。ポーくんも、タイでがんばっているかな。いつか、会いたい。そして、ぞうの話をいっぱいしたい。

「ランディ、よろしくな。これからいっしょにがんばっていこうぜ」

おでこの星を、ツンツンとつついた。ランディは鼻をもち上げた。健康《けんこう》そうなピンク色の口の中が見えた。

6　ランディは売れっ子タレント

ランディは『ゾウのいない動物園』というテレビドラマに出て人気ものになった。

ランディはコマーシャルやテレビの仕事で出かけるのが大好きだ。上手にできたときは、うんとほめる。ほめられると、ランディはますますはりきる。

でも、一度、おこらせてしまったことがある。ドラマの撮影《さつえい》のとき、ランディがつかれているのに、あと少しだからとむりして仕事を続《つづ》けたことがあった。

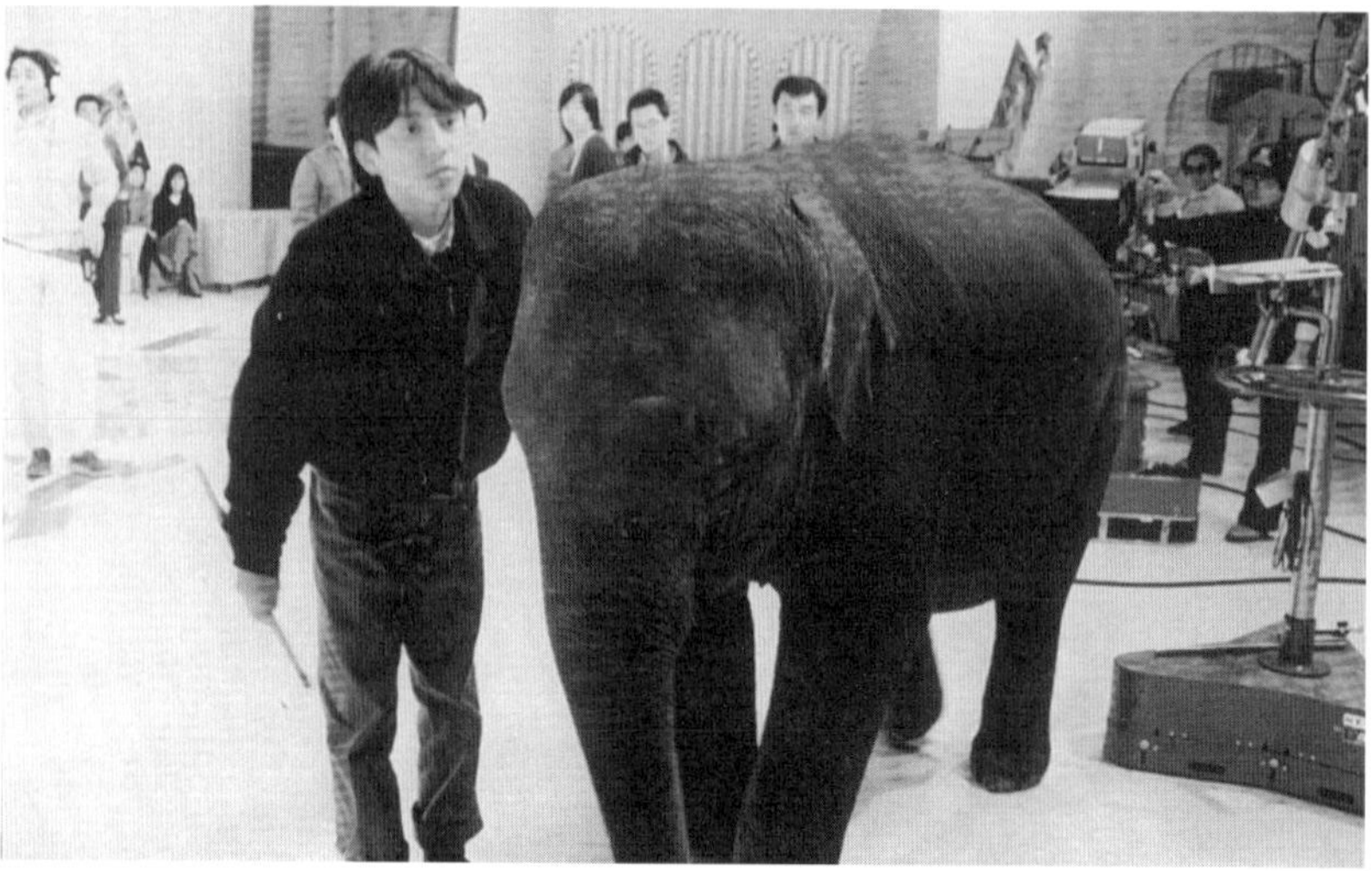

ランディはおこって、相手のタレントさんを鼻《はな》でかべにおしつけようとしたんだ。ぼくはすっとんでいって、ランディをおさえた。

子どもとはいえ、ぞうは一トンもの重さ。鼻でおされただけでも、人間は大けがをする。ものすごく反省《はんせい》した。ランディより、人間のつごうを優先《ゆうせん》したぼくが、悪かったんだ。ぞうのいやがることは、ぜったいしてはいけない。

ある日、ぼくが卒業《そつぎょう》した小学校の校長先生がやってきた。

「子どもたちに、ぞうさんとつなひきをさせてあげたいんです。ぜひ、哲夢《てつむ》さんにお願いしたいのですが」

子どもは大好きだ。でも、小学校時代、いたずらばかりしていたぼくは、校長先生と顔をあわせるのがはずかしかった。職員室《しょくいんしつ》の屋根《やね》からオシッコしたこともあるし、成績《せいせき》も、体育と図画以外はパッとしなかったしなあ。

ランディとママと出かけたのだけれど、ぼくはやっぱり雲がくれすることにした。

「ランディ、あとはたのんだぞ」

（哲《てっ》ちゃん、どこへいくの？）

「ないしょ」

ぼくはダッシュで、物かげにかくれた。ぼくのかわりに、ママがランディを動かしている。ママは顔でわらいながら、目は必死《ひっし》でぼくをさがしている。

つなひきが終わったあと、ひょっこり出ていったら、ママの怒《おこ》ること、怒ること。

「どこにいたのよ、もう。哲《てつ》のばか！」

「へへ。でもさあママ、なかなかやるじゃないかよ」

そういったとたん、げんこつがポカスカおちてきた。ママのげんこつ、いたかったなあ。

つなひきは注意《ちゅうい》しないといけない。あるとき、五十人の子ど

もだけではびくともしないので、大人が助けに入ってしまったことがある。ずるずる引っぱられたミッキーが、足をいためてしまったのだ。ぞう使いとしては、そういうことにも注意しなくてはいけない。失敗《しっぱい》しながら、毎日が勉強《べんきょう》だ。

ぼくとランディには、日本全国から仕事がきた。出かけるたびにぼくたちは、必《かなら》ずその町の動物園による。そして、はじめてあったぞうに、タイ語で合図《あいず》をする。

すると、それまでなにも芸《げい》をしたことのないぞうが、おすわりをしたり、鼻《はな》をあげたりして動物園の人たちをおどろかせた。ぞうはちいさいときにうけた訓練《くんれん》を、いつまでもわすれない。とても記憶力《きおくりょく》のいい動物なのだ。

ぞうの仕事はグンとふえた。日本最年少《さいねんしょう》のぞう使いというのが話題《わだい》になって、テレビやコマーシャルのほか、さまざまなイベントによばれるようになった。

千二百年ぶりに奈良《なら》で行われた『千僧法要《せんそうほうよう》』という花まつりでは、平和を願《ねが》って日本じゅうからやってきた千七百人のお坊《ぼう》さんと、奈良市内を行進《こうしん》した。

ぼくはぞう使いの服を着て、お釈迦様《しゃかさま》の像《ぞう》といっしょに、着かざったミッキーの背《せ》にのった。ミッキーの大きな体、長い鼻、それだけで大人も子どもも大喜びだ。ぞう使いになってほんとによかったと思うときだった。


高校生になったころから、ライオンやキリンなど大きい動物がふえたため、もっと広い千葉県《ちばけん》の市原市《いちはらし》にひっこしをした。そしてプロダクションだけでなく、動物園のようにみんなに見てもらう動物クラブを始めることになったんだ。

ぞうの世話係《せわがかり》として、ぼくのほかにタイとスリランカから人がやってきた。

ぞうの移動《いどう》には車を使う。『ぞう移動中』と大きく書いたトラックだ。日本海が見えてきたとき、ランディの声が聞こえた。

(哲《てっ》ちゃん、およごう、およごうよ!)

「よーし、およごう!」

パオーン!

ぼくは波をけちらして、砂浜《すなはま》を走った。ランディもついてくる。

「わーお。ランディ、早く来い!」

(まって、哲ちゃん。わたしはこれでも女の子なんだからね)

なんていいながらランディは、ぼくに鼻《はな》のシャワーを思いっきりかけてよこす。シャワーは太陽にキラキラかがやいた。

ランディとならんで、砂浜にすわった。

海が光っている。

カモメが飛《と》んでいる。

ぼくはランディによりかかって、目をつむった。いつかの九《く》十九里海岸《じゅうくりかいがん》にまけない、わすれられない夏だった。

7　ヨーコはひきこもりぞう

平成元年《へいせいがんねん》のある日、新潟《にいがた》の動物園が閉園《へいえん》されることになり、ヨーコというぞうをひきとってほしいといってきた。電話をうけたママがいった。

「ヨーコは十五年間、ひとりぼっちでオリに入っていたんだって」

「えっ、それはさびしすぎるよ。ぞうは群《む》れでくらす動物なのに……」

ぼくは思わず大きな声を出してしまった。

・

「今はひきこもり状態《じょうたい》で、だれにも心をひらかないみたいなの」

「しかしなあ、うちも今いる三頭だけで大変だ。これ以上ふえたら、えさ代《だい》も人手《ひとで》ももっとかかるぞ」

「でもパパ、そのぞう、いき先がないんだろ？　ぼく、会ってみたいな、ヨーコに」

「ママも気になるのよ。哲《てっ》ちゃん、いくだけいって、様子をみてきて」

ぼくはタイからきていたヤンさんと様子を見にいき、できたらいっしょにつれて帰ろうと思った。

ヨーコはせまい運動場で、ぽつんとしていた。どんなに声をかけても、あっちをむいたまま。ヤンさんがタイ語で合図《あいず》してもわからない。タイ語の訓練《くんれん》もしていないようだ。家のぞうたちなら、鼻《はな》やしっぽをふって大喜《おおよろこ》びするのに。なかなかこっちをむいてくれないヨーコに、それでも毎日話しかけた。

一週間がたって、半分あきらめて帰ろうとしたとき、ヨーコはやっとぼくのそばに来て、においをかぎ始めた。

「ヨーコ、ぼくのきもち、わかってくれたんだね」

体をさすってあげた。ヨーコの鼻が、ぼくの手や顔をさわりつづけた。

「くすぐったいよ。さあ、なかまのいるところへいこうな」

「テツさん、よかったですね」

ヤンさんも大喜びだ。しかし、トラックにのせるのは大変だった。今までオリから出たことがないヨーコにとって、トラックにのるのは大冒険《だいぼうけん》だったのだろう。

それでもなんとか家に着くと、駐車場《ちゅうしゃじょう》にミッキー、ランディ、ミニスターが勢《せい》ぞろいしてヨーコを待っていた。

「みんなソワソワおちつかないから、ぞう舎《しゃ》からつれてきたのよ」

とママがいう。ぞうの鼻《はな》はびんかんで、五キロ先のなかまをかぎわけられるんだ。三十分も前から、ヨーコのにおいに気がついたらしい。

しかしヨーコは、ミッキーたちを見たとたん、びっくりして反対の方に走りだした。

「ヨーコ、あぶない！　走らないでっ」

ママがさけんだ。不安は的中《てきちゅう》、ヨーコはドーンとたおれてますます興奮《こうふん》した。ヤンさんが必死《ひっし》に「立て！」と命令《めいれい》した。

そのときだ。ミッキーがゆっくりヨーコに近づいた。そして、キューィ　キューィ、ブフッ、グルグルッと、ぼくたちにはわからないぞう語ではなしかけた。まるでヤンさんのタイ語を通《つう》訳《やく》しているみたいに。

（さあ、ゆっくり立って。なにも心配《しんぱい》いらないのよ）

するとヨーコは、そろそろと立ちあがり、ミッキーのあとからゆっくりとぞう舎にむかった。

「ミッキーは名通訳《めいつうやく》ね」
ママがほめた。ミッキーはちょっとはずかしそうに、パフンと鼻《はな》をならした。

「ねえママ。よその動物園には、ヨーコみたいなぞうがまだいるんじゃないかな。いつか、日本じゅうのぞうをたずねてみたいなあ」

「そうね。いい考えだわ」

「それからさ、年とったぞうたちのことも気になるよ。動物園やサーカスで働《はたら》けなくなったとき、そのぞうたち、どうなるんだろう。タイじゃ、六十さいくらいになるとジャングルに帰して、のんびりすごさせるんだよ。日本のぞうたちも、最後のときぐらいせめて、コンクリートのオリじゃなく、木がいっぱいある森の中ですごさせてやりたいな」

「大きな夢《ゆめ》ね、哲《てっ》ちゃん」

「本物のぞうをみたことのない子もいると思うんだ。日本じゅうをまわって、その子たちにぞうを見せてやりたい。ああ、ぼくにはやりたいことがいっぱいあるよ」


ヨーコをむかえて、わが動物クラブのぞうは四頭になった。ぞうの世話《せわ》はもっと大変になった。

ぼくは家族の反対をおしきって、高校をやめた。仕事がいそがしくなったのもあるけれど、ぼくの目ざす世界とクラスの友だちが目ざす世界とがだんだんはなれていくような気がしていた。学校の勉強《べんきょう》より、動物の世話《せわ》をしているほうが、ぼくは幸せだった。

ヨーコはミッキーたちのおかげで、まもなくぞう語の会話ができるようになり、ぞうのショーに出られるまでになった。

うちのぞうさんショーは、とても人気《にんき》がある。サッカーにバスケット、おすわり、おじぎ、買い物ゲーム、子どもたちのマラカスにあわせてハーモニカもふく。

一番の人気はやっぱり、お客さんが背中《せなか》にのって広場を一周《いっしゅう》することだ。鼻《はな》にぶらさがることもできる。インドやタイまでいかなくても体験《たいけん》できるんだから、すごい動物園だ。

そのかわりぼくは、体がいくつあっても足りないくらい忙《いそが》しい。動物園、プロダクションのほかに、タイ料理のレストランも開いた。こんどは本格的《ほんかくてき》なタイ料理を習《なら》いに、「タイに勉強《べんきょう》をしにいってもいいかな」とママと相談《そうだん》していた。

パパとママ、五人のきょうだいで力をあわせて、もっともっと楽しい動物園にしたいと思っていた。それなのに……。

平成《へいせい》四年（一九九二年）十一月十日。

ぼくは、交通事故《こうつうじこ》のため、みんなにさよならをいうひまもなく、天国にいってしまった。

8　哲《てっ》ちゃんは星になった

パオーン
ブオーン
ヒューン
(哲《てっ》ちゃん、どこへいっちゃったの?)
ランディがないている。
ミッキーもないている。
ヨーコもミニスターもないている。
「哲ちゃん……」

「テツ」

「おにいちゃーん」

家族がみんな、ないている。

動物たちもないている。

みんなをこんなに悲《かな》しませてしまって、ぼくはどうしていいかわからない。

あの日、ぼくはねこのシャルルとニスケをつれて、コマーシャルの撮影《さつえい》にいくとちゅうだった。ぼくの車の前を、三台のダンプカーがのろのろと走っていた。

仕事におくれるとこまるな……。

前の車を追《お》いこそうとして右に出たとき、目の前に別のダンプカーがとびこんできたんだ。正面《しょうめん》しょうとつだった。ニスケも、ぼくといっしょに天国につれてきてしまった。

ランディ。

お葬式《そうしき》の日、ランディはぼくのそばからはなれようとしなかったね。

お骨《こつ》になってからも、鼻《はな》でさわりまくり、においをかいで、涙《なみだ》をぼろぼろとこぼしていたね。あんなにたくさん、なみだをながすぞうを、ぼくははじめて見たよ。

弟のタッくんが、ないているランディの体をぺたぺたたたいて「ぼく、哲《てっ》ちゃんのようなぞう使いになる」っていったのにはおどろいた。あんなにぞうをこわがっていたのに。でも、うれしかった。

「さあ、哲ちゃんにお別れしよう」

パパがいうと、ランディはお墓《はか》の前にきちんとおすわりして、ぼくに「さようなら」とあいさつしてくれたね。

（哲《てっ》ちゃん。哲ちゃんがいなくなってから、ぞうさんショーを休んじゃったのよ。体から力がぬけちゃって……。ミッキーたちもショーの前には、ママといっしょによくないていいるわ。だから、ショーの始まりがいつもおくれるのよ）

うん、知ってるよ。ぼくがいるところから、みんなのことがよく見えるんだ。

（ママはいまでも、哲ちゃんがひょっこり帰ってくるんじゃないかって思ってる。ネコのシャルルはケガをしたけど、助かったわ。でも、あのあと、哲ちゃんの仏壇《ぶつだん》の前から動こうとしないの）

ランディ。パパとママとシャルルのこと、たのんだよ。それからみんなのこともね。

(哲ちゃん、もういっしょにお仕事ができないの？　海水浴《かいすいよく》もできないの？)

ごめんよ、ランディ。ぼくは、もう、みんなに会えないところに来てしまったんだ。

(哲ちゃん、星になったんでしょう？　ママがいってたわ。哲ちゃんの星は、みんなのことが心配《しんぱい》で心配で、夕方、一番先に空に出るんだって)

そうだよ、ランディ。一番早く出て、一番大きくて、一番光ってるのがぼくだよ。

(哲ちゃんは、四つめのオリオン星ね)

ぼくは夕方、一番先に光って、いつもランディやみんなのことを、見ているからね。

9　ぞうの楽園

「哲《てっ》ちゃん、ママよ。天国にはカレンダーがないんでしょう？　今日は六月二十八日。あなたの二十一さいのたんじょう日よ。みんなで大きなケーキを用意《ようい》したの」

　ママ、ケーキ、ありがとう。あれから、あっというまに七か月もたってしまったんだね。ぼくのせいで、のんちゃんはごはんを食べられなくなるし、麻衣《まい》は学校にいけなくなるし……。みんなにつらい思いをさせてしまって、ほんとうにゴメンなさい。

「ゴメンじゃすまないわよ。みんなまだ、かなしみからぬけられないけど、なんとかがんばっているわ。ひきこもりだったヨーコは、今じゃ、ショーには欠《か》かせないぞうになったの」

あのヨーコが……。よかった。ぞうの幸せは、ぼくの一番ののぞみだから。

「哲《てっ》ちゃん、今日はあなたが亡《な》くなってから四年目の夏よ。今日から動物園を『市原《いちはら》ぞうの国』という名前に変えることにしたの。ママが園長よ」

いいじゃない、その名前。ぴったりだよ。ああ、手伝《てつだ》えなくてくやしいな。

「哲ちゃん。神戸《こうべ》で大きな地震《じしん》があったのよ。その神戸にあった動物園から、二頭のぞうがひきとられてきたの。六十さいと五十五さいのおばあちゃん。人間だと、七十さいから八十さいになるわね」

ずいぶん長生きしたんだね。そのおばあちゃんたち、ミッキーやランディたちとすぐになかよくなれた？

「もちろん。みんな大喜《おおよろこ》びよ。おばあちゃんたちは、五十年ぶりになかまのぞうに会ったんだって」

五十年？　びっくりだ！

「哲ちゃん。ママね、老《ろう》ぞうホームを作ろうかと思うの。どう思う？」

それ、ぼくの夢《ゆめ》だったんだよ！　ぞうが、最後《さいご》にのんびりく

らせる楽園のことでしょう？
「そう、哲《てっ》ちゃんがよくいってたわね。やっと、その夢がかないそうよ。勝浦《かつうら》というところに市原《いちはら》の十倍《ばい》の広さの土地を買ったの。名前は『勝浦ぞうの楽園』に決めたわ。そこは自然をそのまま残して、ぞうさんが自分の鼻《はな》で、木をおったり果物《くだもの》をとったりできるようにするつもりなの」
　いいなあ。タイのふるさとみ

たいだ。

「それから、自由に森の中をさんぽできるのよ。温泉《おんせん》も作ってあげたいわ。病院《びょういん》もいるわね。そうそう、あの子たちのえさ用の畑《はたけ》も作って……」

ストップ！　園長さん、ぼくもおねがいがあります。海が見える展望台《てんぼうだい》も作ってよ。ぞうは水が好きだから、せめて海を見せてやりたいんだ。

「いいわよ。ランディとおよいだ日本海、というわけにはいかないけどね」

ここからなら、太平洋《たいへいよう》だね。

「ぞうたちはだれにも命令《めいれい》されず、好きなようにくらせるわ。そして、人とぞうが同じ森の中をいっしょにさんぽするのよ」

園長ママの声は、はずんでいる。

「哲《てっ》ちゃん。今は平成《へいせい》十七年。あなたが亡《な》くなってもう十二年になるわ。はやいものね。ぞうも九頭に増《ふ》えたわ。そして今年は、いよいよ『勝浦《かつうら》ぞうの楽園』がオープンするのよ。とっても楽しみ。やっとやっと、ここまできたわ」

やったね、ママ。おめでとう。日本じゅうの年とったぞうたちが、最後《さいご》は勝浦の楽園にきて、のんびりすごせたらいいね。

ぼくの夢《ゆめ》をかなえてくれて、ほんとうにありがとう。

「哲ちゃん、夢はまだとちゅうよ。これからが本番なの。空の上で、ちゃんと見守っててよ」

わかってる。
ママ、ランディ、ぞうの国のみんな。
もういちど、ありがとう。ぼくの夢をついでくれて、ほんとうにありがとう。
ぼくはこれからも、ずっとずっとみんなのことを見てるからね。

夢《ゆめ》のリレー

みなさんは、本物のぞうにさわったことがありますか？　「こわーい」という声が聞こえてきそうですね。わたしは千葉県《ちばけん》の『市原《いちはら》ぞうの国』へいったとき、うまれて初《はじ》めてさわりました。

ぞうの体って、見た目はごわごわと固《かた》そうですが、実《じつ》はやわらかくてあたたかいのです。ほんとにびっくりしました。そして感動《かんどう》しました。それまでぞうは「動物園のオリの中で見るもの」だったのですから。

この『市原ぞうの国』では、にんじんやバナナを直接《ちょくせつ》あげたり、背中《せなか》にのることもできます。こんな動物園は、日本ではめずらしいのではないでしょうか。

このような動物園ができたのは、このお話の主人公・坂本哲夢《さかもとてつむ》さんとお母さんの小百合《さゆり》さんの夢がみのったものです。

哲夢さんはお家の仕事が動物プロダクションだったので、小さいときからたくさんの動物にかこまれて育《そだ》ちました。ペンギンといっしょにプールに入ったり、ポニーにのったり、ふつうの人には経験《けいけん》できない時間をすごしたのです。ぞうがきてからはぞうにあこがれ、タイで勉強して日本で最《さい》年少《ねんしょう》のぞう使いとなって話題《わだい》になりました。

ですが、残念《ざんねん》ながら今から十三年前、二十さいで亡《な》くなりました。二十年の人生のほぼ半分を、ぞうとすごしたことになります。

哲夢さんには夢がいっぱいありました。そのひとつが、大好きなぞうたちが年をとったら、自然がいっぱいあるところですごさせてあげたい……というものでした。その夢のとちゅうで、天国へいってしまったのです。

でもお母さんやごきょうだいがその夢を受けつぎ、『勝浦《かつうら》ぞうの楽園』を作りました。

哲夢《てつむ》さんが亡《な》くなったとき四頭だったぞうは現在《げんざい》九頭になり、そのうち二頭はすでに『勝浦《かつうら》ぞうの楽園』でのんびりと余生《よせい》をすごしています。夢のリレーというすばらしいことを成《な》しとげたご家族と『市原《いちはら》ぞうの国』のみなさんに拍手をおくりたいと思います。

ぞうは、陸《りく》に住む動物の中ではもっとも大きな動物で、アフリカゾウとアジアゾウに大きくわけられます。

タイのぞうはアジアゾウで、アフリカゾウより性格《せいかく》もおとなしく、むかしから人間のために働《はたら》いてきました。

以前はキバが高く売れるため密猟《みつりょう》されて、ぞうの数が激減《げきげん》した時代もありました。しかし今では、ぞうを守ろう、数を増やそうと世界じゅうのたくさんの人たちが活動をしています。

動物園のぞうたちは、オリに入れられてかわいそうという人がいるかもしれません。でも、ふつうの人は動物園でしかぞうを見ることができません。そんなぞうたちは、どれだけたくさんの人を喜ばせ、楽しませていることでしょう。ですからわたしたちは、ぞうに対して感謝《かんしゃ》の気持ちをわすれてはいけないと思います。

ぞうは家族思いでやさしく、子ぞうは群《む》れ全体で育《そだ》てます。一度信頼《しんらい》した人間とのきずなは、いつまでもわすれません。もちろん、動物本来《ほんらい》の野《や》性《せい》がありますから、ときには悲《かな》しいニュースなども耳にします。ですが、わたしはぞうを知れば知るほど、その魅力《みりょく》にとりつかれてしまいました。

哲夢さんは今、動物園のすぐとなりでねむっています。ぞうたちの声が、朝に晩《ばん》にきこえるところです。もし、あの事故《じこ》がなければ、どんなにかすばらしいぞう使いの青年になっていたことでしょう。

園長として毎日がんばっているお母さんが「十分でいいから哲《てつ》ちゃんと話がしたい」といいます。きっと哲夢さんも同じ思いにちがいありません。

哲夢さんがかわいがったぞうたちは、今日も元気に子どもたちを楽しませてくれています。

本を書くにあたり『市原《いちはら》ぞうの国』『勝浦《かつうら》ぞうの楽園』園長の坂本小百合《さゆり》さんには、おいそがしいところ貴重《きちょう》なお話を聞かせていただきました。心から御礼《おれい》申し上げます。

出版にさいしては、汐文社《ちょうぶんしゃ》編集部の村角《むらずみ》あゆみさんに大変おせわになりました。ありがとうございました。

二〇〇五年六月　　島田　和子

★市原ぞうの国

千葉県市原市山小川937
TEL 0436-88-3001
http://www.zounokuni.com
開園時間　9：00～17：00
　　　　　定休日：木曜日（春・夏・冬休み祝日は営業）

参考文献

・「ちび象ランディと星になった少年」(坂本小百合著　文藝春秋)
・「ママ「ぼく」ここにいるよ　ゾウと生きた哲夢の20年」
　(坂本小百合著　湘南動物出版)
・「ゾウが泣いた日」(坂本小百合著　祥伝社)
・「タイの象」(桜田育夫著　めこん)
・「テッちゃんはゾウ使い」(井上こみち著　金の星社)
・「ぞうの学校」(中川李枝子著　福音館書店)
・「ゾウの本」(カー・ウータン博士著　講談社)

●監修　坂本小百合（さかもと　さゆり）
1949年生まれ。神奈川県出身。横浜双葉学園高校卒業。
ファッションモデルを経て、動物プロダクション経営に転身。
平成元年私設動物園（現在の「市原ぞうの国」）をオープンした。
平成8年園長に就任。

●文　島田和子（しまだ　かずこ）
1945年秋田県生まれ。日本児童文学者協会会員。
主な作品に「先生おさきにさようなら」（新日本出版社）、「カミングアウト」（新日本出版社）、「義足のキリンたいよう」（汐文社）などがある。東京都立川市在住。

星になった少年　ぼくの夢はぞうの楽園

2005年 8月 1日　初版第1刷発行
2010年 6月10日　初版第9刷発行

監　　修	坂本　小百合
文	島田　和子
発 行 者	政門　一芳
発 行 所	株式会社 汐文社
	東京都文京区本郷1-34-5　〒113-0033
	電話 03（3815）8421
印刷・製本	株式会社 飛来社

NDC 916　　ISBN978-4-8113-8002-5

生きるってすばらしい

●全7巻　（各巻定価1,365円・A5判）

義足のキリンたいよう いのちの物語　・・・・島田和子・作

全国で注目を集めた、秋田の動物園の義足のキリン・たいよう。折れた足と義足で立ち上がった姿は、私たちに「生きる力」を教えてくれた。

さとうきび畑の唄　・・・・遊川和彦・著

昭和16年、沖縄。幸せな生活を営む平山一家に、戦争の影がしのびより…。平成15年度文化庁芸術祭大賞受賞作品ノベライズ。

行こうぜ！ サーカス　・・・・沢田俊子・作

おれのクラスに、親がサーカス団員の立花が転校してきた。夢のようなサーカスの舞台を支える人や動物にはいろんなドラマが…。

世界をみつめる目になって　・・・・望月正子・著
よかったね、モハマドくん

イラクの戦争で左目を失明した少年・モハマドくんが、日本での手術のために来日してきた。草の根の人道支援と平和の貴さを伝える。

帰ってきて！ 愛犬ナナちゃん　・・・・反町昭子・作
主人をクマから守ったイヌ

南アルプス山麓で、クマに襲われた主人を守った愛犬・ナナ。しかし、数日がすぎても、ナナはもどってこない…。

きっと泳げるよ、カバのモモちゃん　・・・・大塚菜生・作

陸上で生まれ、泳ぐことができないカバのモモは、日本初のカバの人工ほ育で生きることができた。飼育員とのその後の10年を描く感動のノンフィクション。

さわってごらん、ぼくの顔　・・・・藤井輝明・著

「容貌障害」をもつ著者が、こどもたちに前向きに生きるための力、イジメ・差別は絶対にいけない、というメッセージを伝える。